MATADOR

Tytuł oryginału: *El Materdor*

© for the Polish edition by Egmont Polska Sp. z o.o., Warszawa 2011
Wydawca prowadzący: Agnieszka Najder
Redakcja: Teresa Duralska-Macheta
Korekta: Agnieszka Trzeszkowska

Wydanie pierwsze, Warszawa 2013
Wydawnictwo Egmont Polska Sp. z o.o.
ul. Dzielna 60, 01-029 Warszawa
tel. 22 838 41 00
www.egmont.pl/ksiazki

ISBN 978-83-237-5739-9
Koordynacja produkcji: Aleksandra Waligórska
Druk: Edica, Poznań

EGMONT

Złomek i Zygzak McQueen jechali wolno drogą, mijając stado pasących się buldożerów.

– Ech, walczyło się kiedyś – westchnął Złomek. – Byłem gwiazdą korridy w Hiszpanii. Występowałem jako El Złomito – dodał z dumą.

I zaczął swoją kolejną opowieść...

Tłum wrzeszczał z zachwytu, kiedy El Złomito wjeżdżał na arenę.

Był najbardziej brawurowym matadorem w dziejach korridy.

Wszyscy wielbili El Złomita – bo nie znał strachu! Wystarczyło spojrzeć mu w oczy, by wiedzieć, że niestraszny mu najsroższy buldożer.

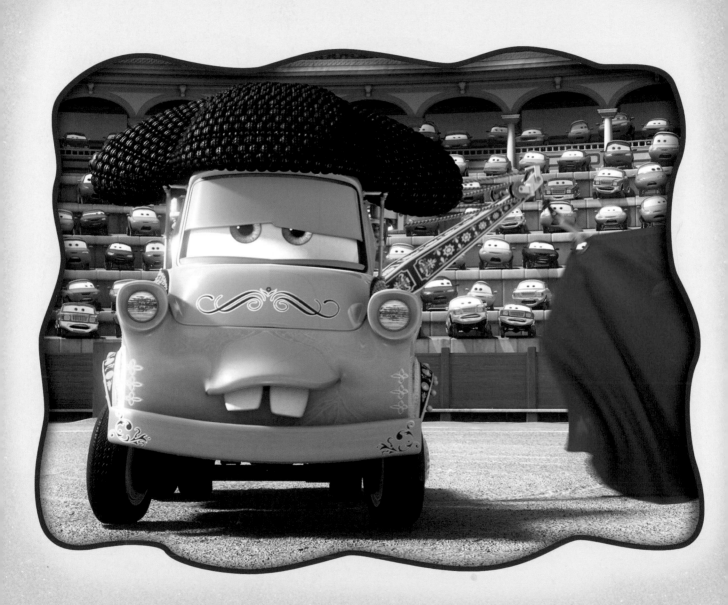

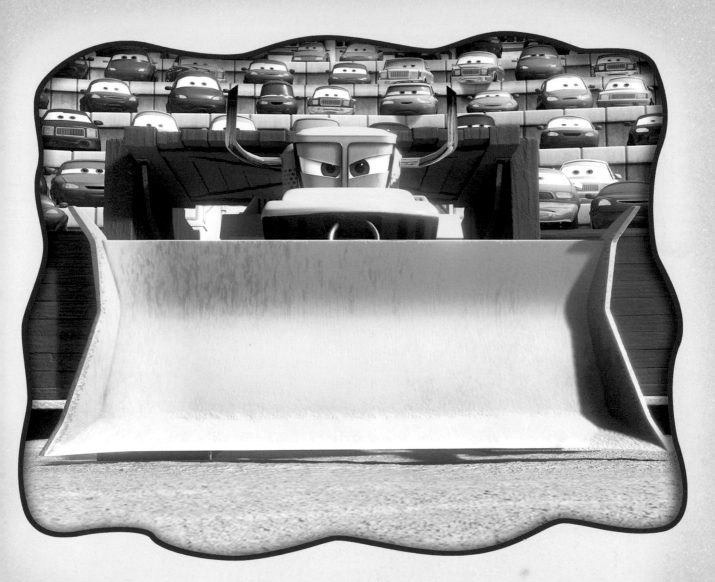

Tego dnia, kiedy najpotężniejszy z najpotężniejszych buldożerów wpadł na arenę, szmer przeszedł przez widownię. Bestia parsknęła – i zaszarżowała na El Złomita!

Matador zamachał muletą i przytrzymał ją do ostatniej chwili, a potem zrobił zgrabny unik.

Gdy gwiazdor kłaniał się zachwyconej widowni, buldożer zawrócił i zaatakował przeciwnika od tyłu! El Złomito zarył w trociny, którymi posypana była arena. Nie dawał znaku życia.

Widzowie nie mogli uwierzyć własnym oczom!

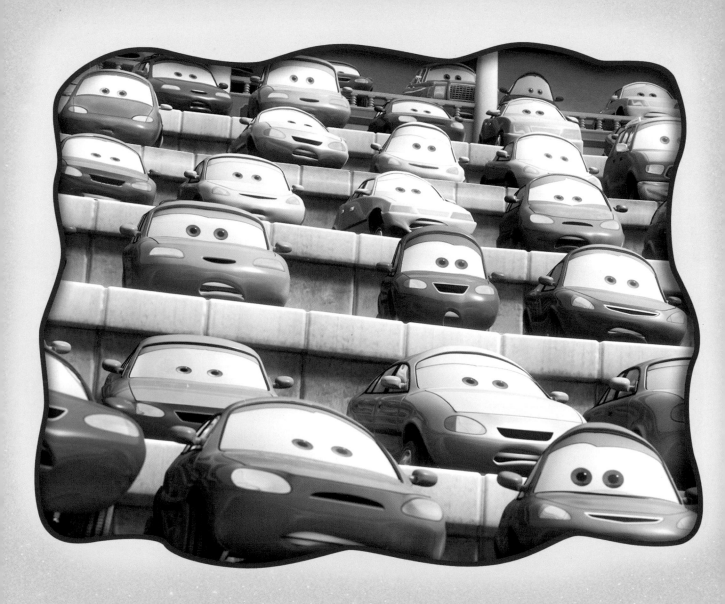

Czyżby to był koniec El Złomita?

Nagle ze zwałowiska trocin wysunął się hak holownika i zaczepił o muletę! El Złomito jednak żyje! Tłum szalał.

Najwierniejsze fanki El Złomita, *señorita* Niunia i *señorita* Dziunia, były szczęśliwe, że ich bohater żyje.

– *¡Ole!* – krzyknęła Niunia.

– Brawo, *señor* Złomito! – zawołała Dziunia.

El Złomito powstał z pyłu, gotów rozprawić się z buldożerem. Otrząsnął się i wbił wzrok w wielką maszynę. Zaraz się odegra!

Ale teraz miał przeciwko sobie aż trzy buldożery!

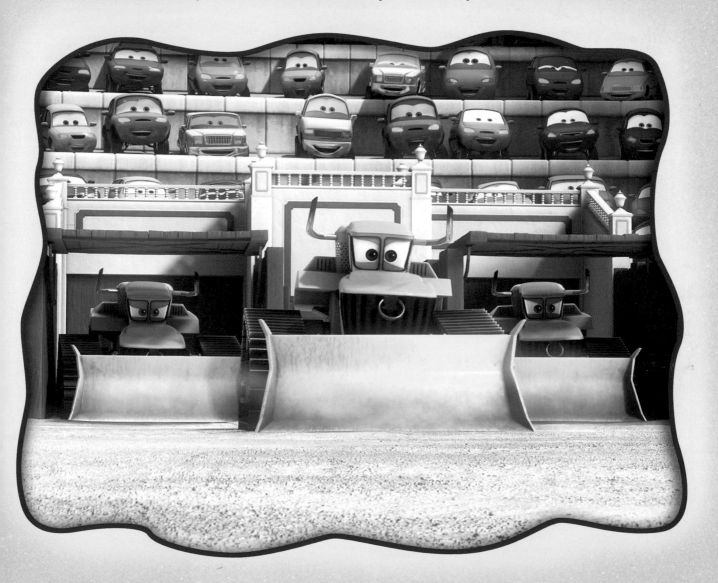

Oj! Czy wielki El Złomito wyjdzie cało z tego zmasowanego ataku?

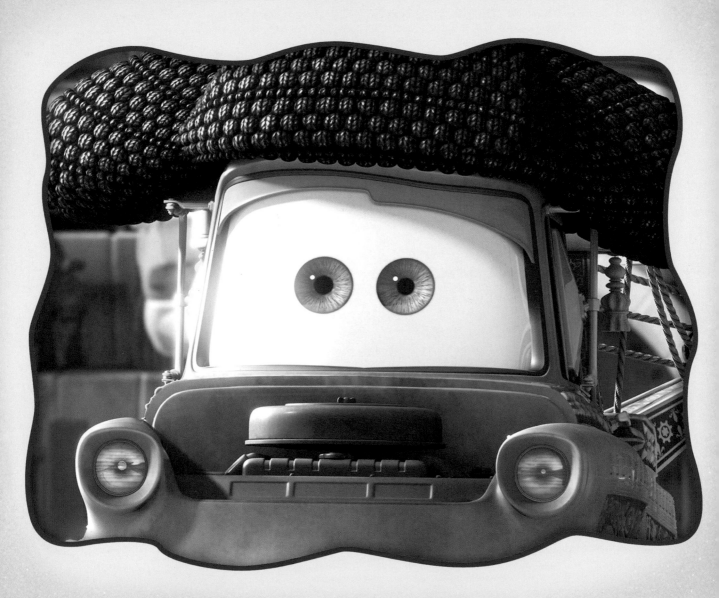

Buldożery zaszarżowały jednocześnie na El Złomita! Już miały go zmiażdżyć, gdy nagle wyskoczył w górę! A potężne maszyny z hukiem wpadły jedna na drugą.

– *¡Ole!* – zawołał matador, stając dumnie na karkach pokonanych buldożerów.

– ¡Ole! Brawo, *señor* Złomito! – wiwatował tłum.
Ale widownia ucieszyła się za wcześnie!...
Buldożery znów otoczyły słynnego matadora. Atakowały go ze wszystkich stron!

– I co zrobiłeś? – zapytał Zygzak McQueen.

– Jak to co? Nie pamiętasz? Przecież ty też tam byłeś!
– odpowiedział Złomek.

– Ojejej! – krzyczał Zygzak ścigany przez buldożery po całej arenie, ale one nie dawały za wygraną!

– Na pewno polecą na ten twój czerwony lakier! – zawołał Złomek do Zygzaka.

– O nie – powiedział Zygzak. – Nic takiego się nie wydarzyło.

– He, he, powiedz to tym buldożerom – zachichotał Złomek.

– Hę? – zdziwił się Zygzak, który nagle zobaczył, że buldożery otoczyły ich kręgiem.

– Aaaaaj! – krzyknął McQueen i zaczął zwiewać jak niepyszny, a rozjuszone buldożery siedziały mu na zderzaku.

Wtem nadjechały dwie najwierniejsze fanki El Złomita.
– ¡Señority! – zawołał Złomek, wyrzucając w górę swój matadorski kapelusz. – ¡Ole!
I trzy auta ruszyły w drogę na poszukiwanie nowych przygód, aby potem opowiadać je wszystkim.